Une surprise pour Zèbre Bouchard

Notre site renferme aussi plusieurs surprises, visitez-le :
www.soulieresediteur.com

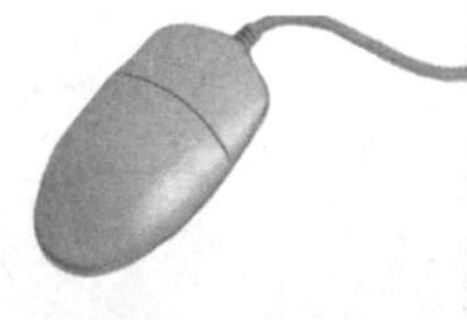

De la même auteure
chez le même éditeur

Moi, Zèbre Bouchard, roman 2013

La bande des Z, roman 2014

Une surprise pour Zèbre Bouchard

un roman de
Myriam de Repentigny
illustré par
Yvan Deschamps

case postale 36563 — 598, rue Victoria
Saint-Lambert (Québec) J4P 3S8

Soulières éditeur remercie le Conseil des Arts du Canada et la SODEC de l'aide accordée à son programme de publication et reconnaît l'aide financière du gouvernement du Canada par l'entremise du Fonds du livre du Canada (FLC) pour ses activités d'édition. Soulières éditeur bénéficie également du Programme de crédit d'impôt pour l'édition de livres – Gestion Sodec – du gouvernement du Québec.

Dépôt légal : 2015

Catalogage avant publication de Bibliothèque et Archives nationales du Québec et Bibliothèque et Archives Canada

De Repentigny, Myriam, 1975-
Une surprise pour Zèbre Bouchard
(Collection Ma petite vache a mal aux pattes ; 130)

Pour les jeunes.

ISBN 978-2-89607-311-5

I. Deschamps, Yvan, 1979- . II. Titre. III. Collection : Collection Ma petite vache a mal aux pattes ; 130.

PS8607.E718S97 2015 jC843'.6 C2014-941834-5
PS9607.E718S97 2015

Illustration de la couverture
et illustrations intérieures :
Yvan Deschamps

Conception graphique de la couverture :
Annie Pencrec'h

ISBN 978-2-89607-311-5

*Pour Élio, qui, comme Zèbre,
aime bien jouer les espions.*

Chapitre 1

Pile ou face

Comme chaque année, pour célébrer l'arrivée de l'été, mes parents ont organisé une grande fête où tous les membres de leur famille sont invités. Lors de cette fête annuelle, quelques amis et voisins se joignent parfois à nous et cette année, Gazelle et Zachary seront de la partie.

Tous ces invités arriveront dans une heure et ma mère, comme vous pouvez vous l'imaginer, est dans tous ses états. Elle nous presse, mon père et moi, de finir de ranger la maison tandis qu'elle replace, pour la soixante-dix-huitième fois, les petites bouchées dans un plat de service.

— Pourquoi tu n'irais pas faire un peu de méditation, ma Sophie ? lui demande mon père en lui massant les épaules. Ça te détendrait, ajoute-t-il en me faisant un clin d'oeil.

— Mais oui, maman, tout est prêt de toute façon, ai-je cru bon d'ajouter.

— Mais non ! rétorque-t-elle en tentant de garder son calme. Il reste l'aspirateur à passer et la limonade à préparer !

— On s'en occupe ! répondons-nous en choeur.

Ma mère nous regarde longuement, comme si elle évaluait nos capacités à accomplir ces tâches puis, sans un mot, elle tourne les talons et monte dans sa chambre.

À peine a-t-elle disparu dans l'angle de l'escalier que mon père sort une pièce de vingt-cinq sous de sa poche.

— Pile, je passe l'aspirateur, face, c'est toi, m'annonce-t-il en bombant le torse, visiblement sûr de lui.

Puis, sans attendre, il lance la pièce de monnaie qui tombe… sur le caribou. Il me lance un regard mauvais et, à son tour, sort de la pièce.

Chapitre 2

La fête

Je viens à peine de finir de presser le dernier citron que le premier invité sonne à la porte. Ma mère, fraîche comme une rose, s'empresse d'aller ouvrir. C'est ma grand-maman Claire, accompagnée de sa fille Lucie, la soeur de ma mère. Lucie n'a pas d'enfant. Mon père dit que c'est parce que c'est une « vieille fille ». Moi, je ne la trouve pas si vieille que ça.

Tandis que nous nous embrassons, Lucie et moi, et que, bien évidemment, elle souligne en gras, en rouge et au marqueur fluo à quel point j'ai grandi, plusieurs autres invités arrivent. Parmi eux, mon oncle Gaspard, un des frères de mon père, ma tante Aline et leur fils Édric, le cousin dont je suis le plus proche. Édric a sept ans, mais il est vraiment tout petit ; pas plus grand qu'un enfant de cinq ans, paraît-il. Il m'a raconté qu'à son école, il fait rire de lui. Les garçons de sa classe refusent qu'il joue avec eux sous prétexte qu'il est trop petit.

— Va jouer dans le carré de sable, bébé lala ! lui lancent-ils en rigolant.

Un jour, l'un d'eux lui a même dit qu'il allait redoubler son année à cause de sa taille. Cela avait beaucoup inquiété Édric.

— Mais voyons donc, tu es super intelligent ! lui avais-je alors dit, pour le rassurer.

Cependant, au fond de moi, j'étais profondément choqué, autant par la réflexion de ce garçon que de savoir qu'Édric était rejeté par certains élèves. Cela me rappelait ce que j'avais vécu durant la dernière année scolaire et ce que j'avais subi comme remarques désagréables au sujet de mon prénom. J'ai réalisé qu'Édric, à sa façon, mais tout comme moi, était différent des autres.

❋ ❋ ❋

Lorsque tout le monde est arrivé, mon père demande que l'on se dirige vers la cour, car, comme le veut la tradition, il va bientôt prononcer son fameux discours. Tout content, il grimpe sur un petit banc afin que tout le monde le voie bien tandis que ma mère, ma tante Lucie et ma cousine Virginie circulent dans l'assistance avec les petites bouchées que ma mère a replacées soixante-dix-huit fois dans le plat.

— Dis donc, Zèbre, on se croirait presque dans une soirée chic, me souffle Zachary à l'oreille.

Je ne réponds pas, car j'ai la bouche pleine de maïs soufflé.

Mon père, pendant dix minutes, parle de notre grande famille unie, du temps qui passe et tout le tralala. Évidemment, il ponctue le tout de nombreuses blagues, pas tellement drôles quant à moi, mais que ses deux frères, Gaspard et Gérard, semblent apprécier. Ainsi, les trois frères Bouchard, qui se ressemblent tant qu'on dirait des triplés, ont le chic pour éclater de rire exactement au même moment. Le même rire tonitruant, assourdissant... bref, désespérant.

Chapitre 3

Dans la clairière

Alors que mon père poursuit son discours depuis ce qui me semble être une éternité, Édric et moi, nous nous jetons un regard entendu. Puis, il s'approche de moi.

— Zèbre, j'ai quelque chose à vous montrer à tes amis et à toi, me chuchote-t-il à l'oreille.

Devant mon air sceptique, il insiste.

— Ça vaut la peine, je te jure ! Allez, rejoignez-moi à la clairière.

Mon cousin est un inventeur… enfin, c'est ce qu'il croit ! En fait, il passe

son temps à bricoler toutes sortes de trucs aussi farfelus qu'inutiles, mais bon, comme dit ma mère, c'est sa façon à lui d'être créatif. C'est ainsi que quelques minutes plus tard, Zach, Gazelle et moi, nous nous faufilons discrètement à travers la haie de cèdres pour rejoindre Édric. J'avoue que je suis, quelque part, soulagé d'échapper à l'interminable discours de mon père !

Édric, tel que convenu, nous attend dans la clairière. Devant lui, posée sur le sol, il y a une boîte en carton, sur laquelle il a collé... des antennes et des boulettes de papier multicolores. Je me demande bien d'où il sort tout ça.

— C'est quoi, ça ? demande Gazelle en s'approchant de lui, tout sourire.

Je me mets à paniquer.

— Recule, Gazelle ! ! !

Je ne peux m'empêcher de penser à cet après-midi où Édric avait failli mettre le feu à ma chambre et à cette soirée où...

— Ben voyons, Zèbre ! Ça ne va pas exploser, quand même ! me lance-t-il, l'air mécontent. C'est une machine pour communiquer avec les extraterrestres !

Je soupire, découragé. Dans la boîte, il y a un clavier d'ordinateur et différentes pièces mécaniques étrangement assemblées.

— Êtes-vous prêts ? nous demande Édric en s'installant devant sa boîte avec le sérieux d'un savant fou.

Zach, Gazelle et moi, nous hochons la tête en réprimant une folle envie de rigoler. Décidément, mon cousin a regardé trop souvent le film *E.T...* Or, cinq minutes plus tard, Édric, qui n'a toujours pas réussi à joindre les extraterrestres, se fâche. Il prend le clavier et le lance contre un arbre.

— Je suis trop nul ! crie-t-il en piétinant rageusement sa boîte, les yeux pleins d'eau.

Maintenant, mes amis et moi, nous n'avons plus trop envie de rigoler. Je fais un pas en direction de mon cousin, mais celui-ci se faufile entre deux arbres et s'enfuit en courant dans la forêt.

Chapitre 4

Un baiser sur la joue

Un peu plus tard pendant la fête, Édric, qui a retrouvé le sourire, joue à cache-cache avec Colin et Thomas, les petits voisins. Richard, Gérard et Gaspard Bouchard, une bière à la main, se racontent des histoires de leur folle jeunesse. Mes plus jeunes cousins et cousines mélangent les pièces de tous les casse-têtes sous l'oeil attendri de ma grand-mère. De mon côté, je montre à mes amis la dernière édition du journal local.

— Eh ! mais attends, c'est ta bande dessinée ça, non ? demande Zachary en tournant fébrilement les pages de l'hebdomadaire.

Je hoche modestement la tête avec un petit sourire. Je ne voudrais quand même pas avoir l'air de me vanter devant mes amis !

— Je n'y suis pas pour grand-chose ! Dès que je l'ai eu terminée, mon père s'est précipité au journal et ils ont accepté de la publier.

Gazelle et Zachary me regardent avec admiration. Je me sens un peu gêné, tout à coup. Mais pas autant que lorsque Gazelle se penche vers moi et m'embrasse sur la joue.

— On est vraiment fiers de toi, Zèbre ! dit-elle avec le plus beau sourire que j'ai jamais vu de ma vie.

Chapitre 5

Une étrange conversation

À la fin de l'après-midi, après maintes discussions enflammées et autres danses endiablées, les invités commencent à partir. De baisers en accolades, sans oublier la petite larme que verse inévitablement ma grand-mère, nous nous retrouvons bientôt seuls, mes parents et moi. En ramassant les verres qui traînent un peu partout dans la cour, je pense à Édric. Je suis malheureux pour lui ; je sais ce que l'on ressent quand on est la cible de moqueries. Je soupire en déposant les verres sur le comptoir de la cuisine.

— Ça va, Zèbre ? me demande ma mère, tout en rangeant des assiettes dans le lave-vaisselle.

— Bof…

— Il y a un problème ?

— Tu sais qu'Édric fait rire de lui à cause de sa taille ?

— Mais non, je ne savais pas, répond-elle en levant les yeux vers moi.

— Tu crois qu'on pourrait faire quelque chose pour l'aider ?

Elle soupire à son tour.

— Je ne sais pas. On pourrait déjà en discuter avec lui lorsqu'il viendra passer la semaine ici.

Je m'approche de ma mère et l'enlace. Comment fait-elle pour toujours trouver les mots qui font du bien ? Ça doit faire partie de ses pouvoirs de super maman.

❋ ❋ ❋

Ce soir-là, épuisé, je monte me coucher de bonne heure (c'est-à-dire avant que mes parents me le demandent). Après avoir mis mon pyjama, je me rends à la salle de bain pour me brosser les dents. C'est alors que j'entends mes parents qui discutent dans le salon.

— Ça y est, Richard, j'ai réservé les billets ! annonce ma mère avec une pointe d'excitation dans la voix.

— Super ! répond mon père. Demain, on ira à la librairie chercher des…

Parce qu'en parlant il se déplace vers la cuisine, je n'entends pas la fin de sa phrase. Mais qu'est-ce qu'ils traficotent, tous les deux ? De quels billets parlent-ils ? Et quel est le rapport avec la librairie ? Je tends l'oreille pour essayer d'en savoir davantage, mais je n'entends plus que de l'eau qui coule et le son de la télévision.

Chapitre 6

À la plage

Quelques jours plus tard, Julie, la mère de Gazelle, nous emmène à la plage municipale avec Zach. Après avoir installé nos serviettes sur le sable chaud, mes amis et moi, nous nous jetons à l'eau. Nous sommes en train de nous éclabousser lorsque nous apercevons, sur la plage, Daniel, accompagné d'un homme qui doit être son père. Je crois que c'est la première fois que je vois Daniel en dehors de l'école et, de surcroît, sans sa bande. Alors que Daniel fait un pas pour se diriger vers le lac, son père l'attrape brusquement par le bras.

— Tu crois peut-être que le parasol va s'installer tout seul ? lui demande-t-il avec agressivité.

Daniel, du mieux qu'il peut, aide son père à installer le parasol, mais celui-ci ne cesse de lui faire des commentaires désobligeants.

— Je peux aller me baigner, maintenant, papa ?

— Fais donc ce que tu veux, gros bon à rien ! lui répond son père en s'allongeant sur sa serviette.

Je jette un oeil à Gazelle, qui écarquille les yeux, stupéfaite. En mar-

chant vers le lac, la tête basse, Daniel nous aperçoit. Il paraît décontenancé un instant : il se demande probablement s'il doit nous ignorer ou plutôt venir nous rejoindre. Il s'avance finalement vers nous.

— Salut Daniel ! lance Zachary d'un ton amical.

— Salut ! répond ce dernier lorsqu'il arrive à notre hauteur. Ça fait longtemps que vous êtes là ?

— Non, pas tellement, répond gentiment Gazelle. Tu es venu avec ton père ?

— Ouais. Il a perdu son travail la semaine dernière, nous explique-t-il

à mi-voix. Il n'est pas tellement de bonne humeur.

Je remarque quelques ecchymoses sur ses bras. Je me demande si c'est son père qui lui a fait ça. Je constate également que Daniel est totalement différent lorsqu'il n'est pas avec sa bande. Je ne crois pas qu'aujourd'hui il me traitera d'animal de la savane ou de quoi que ce soit d'autre.

Comme tout le monde a l'air un peu mal à l'aise, j'envoie un jet d'eau vers Zachary, qui renchérit aussitôt. Et bientôt, dans les cris et les rires, Daniel, Gazelle, Zach et moi, nous nous éclaboussons sous le chaud soleil de juin.

Chapitre 7

Complot et porte-manteau

Trois jours plus tard, je passe l'après-midi au parc avec Zach et lorsque j'arrive à la maison, mes parents sont en train de préparer le souper. Ils discutent près de la cuisinière et ne m'entendent pas arriver. Je me dis que c'est le moment idéal pour les espionner. Peut-être reprendront-ils leur étrange conversation à propos de billets et de librairie ? Sans faire de bruit, je m'approche et

me glisse dans l'ombre du porteman-
teau.

— Tu crois que ça va lui faire plaisir ? demande ma mère

— Mais bien sûr, que ça va lui
faire plaisir ! s'écrie mon père. C'est
exceptionnel, quand même !

— Tu as raison, Richard. Et puis,
il faut que j'arrête de m'en faire pour
rien, c'est mauvais pour mon karma.
Oh ! ça me fait penser.... Attends de
voir ce que j'ai trouvé !

En disant ces mots, ma mère se dirige vers le couloir. Je suppose qu'elle veut prendre quelque chose dans son sac, accroché au porte-manteau. Je me dissimule prestement sous la veste de mon père. Ma mère fouille dans son sac un moment (une éternité, me semble-t-il) puis retourne dans la cuisine sans que j'aie pu apercevoir l'objet qu'elle vient de récupérer. J'en profite toutefois pour ouvrir la porte d'entrée

et la refermer d'un geste bien senti. Si bien senti, que je me l'envoie en plein front et tout en réprimant un cri de douleur, je pense à Daniel, à ses ecchymoses et aux mots méchants de son père :« gros bon à rien », « imbécile ». Daniel n'est certainement pas très gentil avec moi, mais je ne souhaite pas pour autant que son père lui fasse du mal. Et puis, je me demande ce que je devrais faire maintenant que j'ai vu les bras de Daniel. Lui en parler ? Demander conseil à ma mère ? D'habitude, je n'hésite pas à me confier à elle, mais là, c'est différent… on dirait que je suis mal à l'aise. Quoi qu'il en soit, en attendant, je fais semblant que je viens d'arriver.

— Salut ! Je suis là !

— Salut Zèbre ! On est dans la cuisine, lance ma mère.

Je sais, ai-je envie de répondre. Et même que vous étiez en train de comploter…

Chapitre 8

Les Bouchard enquêtent

Édric arrive le lendemain matin. Il va passer toute la semaine chez nous. Nous lui avons installé un petit lit à côté du mien et j'ai fait de la place dans ma garde-robe pour qu'il puisse y ranger ses affaires. Dès que ses parents sont partis, nous montons dans ma chambre.

— Je suis vraiment content de venir passer la semaine ici, me confie-t-il en posant son sac sur le lit. J'aime pas ça, aller au camp de jour.

— Ah ? Et pourquoi ?

Il soupire et ses épaules s'affaissent. Il a l'air très fatigué, tout à coup.

— Mon pire ennemi de l'école est dans mon groupe !

— Comment ça, ton pire ennemi ? ai-je demandé.

Il me répond tout en sortant ses affaires de son sac.

— Tu sais, le gars qui passe son temps à rire de moi et à dire toutes sortes de bêtises à mon sujet...

Je vois très bien de quoi parle mon cousin. Comme il a l'air triste, je décide de lui changer les idées.

— Tu sais quoi ? ai-je demandé en l'aidant à ranger ses vêtements. J'ai l'impression que mes parents me cachent quelque chose.

Il ouvre de grands yeux intéressés.

— Comment ça ? demande-t-il

— L'autre soir, je les ai entendus parler de billets et de librairie et puis, ils ne sont pas comme d'habitude...

Je ne sais pas trop comment expliquer ça, mais bref, ils ont l'air louche !

Édric reste silencieux un moment. Puis, soudain, alors que je ne m'y attendais plus, il s'écrie :

— Édric et Zèbre vont faire la lumière là-dessus, parole de Bouchard !

Je lève les yeux au ciel, agacé. On croirait entendre mon père !

❋ ❋ ❋

Après le souper, mon père, ma mère, Édric et moi partons à vélo pour aller à la bibliothèque. Je choisis trois bandes dessinées et mon cousin, un livre sur les espions et les agents secrets. En nous dirigeant vers le comptoir de prêt, nous apercevons mes parents dans la section des guides de voyage. Vite, nous nous dissimulons derrière un rayon pour les épier. Cependant, dans son enthousiasme à jouer l'espion, Édric se recule trop brusquement et marche sur le pied d'une vieille dame qui s'exclame :

— Aïe ! mais voyons, jeune homme, vous ne pourriez pas faire attention ?

Édric devient rouge tomate et bafouille quelques excuses incompréhensibles tandis que mes parents viennent vers nous, l'air contrarié.

— Mais qu'est-ce qui se passe encore ? demande ma mère.

— Heu... c'est-à-dire que...

Ne me laissant pas le temps de terminer ma phrase, elle nous attrape par le bras, mon cousin et moi et nous nous dirigeons tous ensemble vers le comptoir de prêt.

— C'est vrai qu'elle a l'air bizarre, ta mère, me murmure Édric à l'oreille.

Je regarde les titres des livres qu'empruntent mes parents : *Meurtre au canal Lachine*, *La disparition du caniche bleu* (un caniche bleu ?), *Comment cuisiner les pois chiches au barbecue*, *Tricots d'été pas compliqués* et *Pétanque et pastis*, un ouvrage sans doute hautement intellectuel. Aucun guide de voyage ni autre indice qui pourrait nourrir notre enquête.

— Une petite crème glacée, les garçons ? demande mon père en ajustant son casque de vélo.

— Oui ! nous écrions-nous en choeur, oubliant momentanément que nous sommes dans une bibliothèque.

Plusieurs usagers se retournent et nous dévisagent. Ma mère soupire et, encore une fois, elle nous prend par le bras pour nous escorter vers la sortie.

Chapitre 9

Le match

Après avoir dégusté notre crème glacée, nous nous remettons en route. En passant devant le parc de la Famille, je remarque que des parties de soccer sont en cours. Comme je sais que Gazelle s'entraîne avec l'équipe des filles, je fais signe à mes parents et à Édric de s'arrêter. Nous déposons nos vélos contre la clôture et nous nous installons dans les gradins. Aussitôt assis, mon père se met à crier pour encourager mon amie.

— Mais voyons papa ! Tu ne vois pas que c'est la pause ? lui fais-je remarquer d'un ton irrité.

Mon père se tait subitement, un peu gêné.

— C'était juste pour rigoler ! me répond-il tandis que ma mère se dirige, presque en gambadant, vers le banc des joueuses pour embrasser Gazelle.

Mais qu'est-ce qui se passe ? Est-ce la première fois que mes parents sortent de la maison ? Ne peuvent-ils donc pas rester assis tranquilles comme tout le monde ? Ah oui, c'est vrai : mes parents ne sont PAS comme tout le monde !

Tout en soupirant, je regarde autour de moi. Assis dans les gradins de l'autre côté du terrain, je reconnais le père de Daniel.

Alors que l'arbitre siffle la reprise de la partie, je vois effectivement ce dernier se diriger, d'un pas pesant, vers le centre du terrain.

— Plus vite ! Plus vite ! lui crie son

père alors que plusieurs personnes se retournent pour le regarder.

Il se tait, mais semble néanmoins bouillir de colère. Je suppose que Daniel n'a pas trop bien performé pendant la première partie du match... De notre côté, nous crions pour encourager Gazelle... qui vient d'ailleurs de marquer un but ! L'équipe des filles mène maintenant 2-0. Alors que le jeu reprend, Daniel arrive à s'échapper avec le ballon, mais est rapidement rejoint par une joueuse, qui le lui fait perdre.

— Gros plein de soupe ! hurle son père. Sans dessein ! ajoute-t-il avec rage.

Tous les parents semblent offusqués par de tels propos, mais la partie continue. Tandis qu'il court derrière une joueuse, Daniel la pousse violemment. Elle s'effondre sur le sol, mais il continue son chemin comme si de rien n'était. Cependant, l'arbitre, qui a tout vu, demande un arrêt de jeu et Daniel est suspendu. La tête basse, il reste sur le banc jusqu'à la fin du match. Ma mère le regarde avec dépit.

— Tu as entendu, Richard, comment cet homme parle à son fils ? demande-t-elle à mon père. Il faut faire quelque chose !

Mon père hausse les épaules, tout aussi dépité qu'elle. Nous voudrions tous faire quelque chose... mais quoi ?

À la fin de la partie, tout le monde applaudit (sauf le père de Daniel, qui n'a pas l'air content du tout) et, après avoir félicité Gazelle pour son but, nous rentrons à la maison.

Chapitre 10

Le chagrin d'Édric

Assis sur la plus haute marche de l'escalier, j'attends qu'Édric sorte de la salle de bain pour aller me brosser les dents. Dans la cuisine, ma mère parle au téléphone avec Julie, la mère de Gazelle. Tout en buvant une tisane chacune de son côté (enfin, c'est ce que j'imagine), elles cherchent une façon d'aider Daniel et son père. Avant de me coucher, la veille, j'ai dit à ma mère que j'avais vu des bleus sur les bras de Daniel. Elle a pris cela très au sérieux.

Mes dents brossées, je rejoins Édric dans la chambre. Assis sur son lit, il pleure.

— Qu'est-ce qu'il y a, Édric ? J'ai dit quelque chose qui t'a fait de la peine ?

Il ne répond pas. C'est vrai que ce n'est pas facile de parler quand on a une grosse boule dans la gorge. Comme je ne sais pas trop quoi faire, je m'assois près de lui et lui tapote le dos. Mais Édric se met à pleurer

de plus belle ; ses épaules sont secouées de spasmes et de grosses larmes viennent mouiller son pantalon de pyjama. C'est alors que ma mère, telle une super héroïne, fait irruption dans la chambre. Elle s'assoit sur le lit et, sans un mot, pose un bras rassurant autour des épaules d'Édric, qui se jette aussitôt contre elle. Ce n'est pas que je sois jaloux, mais bon, je me sens un peu inutile. Mon cousin se calme peu à peu.

— Léon et ses amis, hoquette-t-il, ils passent leur temps à rire de moi et à me bousculer. Même qu'une fois, ils m'ont donné des coups de poing dans le ventre. Je me sens comme un petit point au bout d'une phrase.

Tandis que je me demande où il a bien pu dénicher cette expression, ma mère prend son visage entre ses douces mains.

— Édric, tu en as parlé à quelqu'un ? À tes parents, au moins ?

Je réponds à la place de mon cousin.

— Il m'en a parlé un peu l'autre jour, à la fête.

Ma mère soupire. Elle a l'air fâchée. J'espère que ce n'est pas contre moi !

— Édric, reprend ma mère, en haussant légèrement le ton, il faut absolument que tu en parles à tes parents. Et aux responsables du camp de jour. Et à tes profs, aussi, lorsque tu retourneras à l'école. Ils n'ont pas le droit de te faire ça ! C'est inacceptable. Tu comprends ?

Édric hoche la tête. Ma mère le serre contre elle. Je m'approche et enlace moi aussi mon petit cousin. On n'a jamais assez d'amour, n'est-ce pas ?

Chapitre 11

Gadgets et Internet

Le temps passe vite et c'est déjà la dernière journée d'Édric à la maison. Nous avions prévu aller aux glissades d'eau, mais comme il pleut, nous décidons de faire du bricolage. Édric a mille et un projets en tête et je me sens épuisé avant même d'avoir commencé.

— On va se fabriquer des gadgets d'espion, okay Zèbre ? me propose Édric avec un enthousiasme désarmant.

Et nous fabriquons des gadgets d'espion.

— On va construire un robot avec des boîtes de mouchoirs vides, okay Zèbre ? me demande Édric, tout emballé par cette nouvelle idée.

Et nous construisons des robots avec des boîtes de mouchoirs vides.

— Et si on faisait une expérience scientifique ? s'écrie Édric en me brandissant sous le nez le dernier numéro de la revue *Les explorateurs*.

— Tu n'aurais pas plutôt envie de regarder un film ?

Mais Édric n'a pas envie de regarder un film. Alors, nous faisons une expérience scientifique. Vers la fin de l'après-midi, ma mère vient à ma rescousse.

— Édric, tu aimerais que je t'apprenne à tricoter ? lui propose-t-elle.

— Chouette ! J'ai toujours rêvé de tricoter comme toi, ma tante !

Je lève les yeux au ciel tandis que ma mère, en m'adressant un clin d'oeil, entraîne Édric au salon. Je me hâte de me diriger vers ma chambre, comme si j'avais peur qu'Édric ait soudainement perdu l'envie d'apprendre à tricoter et me propose une nouvelle activité. En passant devant le petit bureau où mon père s'installe parfois pour faire ses sudokus sur Internet, je l'aperçois, en train de pianoter maladroitement sur le clavier. Comme il me tourne le dos et qu'il a ses écouteurs, je me dis que c'est le moment idéal pour m'approcher de lui à pas feutrés, comme le ferait un véritable espion.

Il est en train de naviguer sur Internet. Sur la page d'accueil d'un moteur de recherche, il entre les mots « musée » et « Louvre » (oui, avec une majuscule). J'enregistre ces deux mots dans ma mémoire et, tout content de moi, je monte rapidement dans ma chambre en me promettant d'éclaircir, dès que possible, le mystère qu'entretiennent mes parents depuis plusieurs semaines.

Chapitre 12

Sauvés par la cloche

Le lendemain matin, au petit déjeuner, ma mère fait promettre à Édric que, dès son retour à la maison, il parlera à ses parents de l'intimidation qu'il vit à l'école et au camp de jour. Nous nous promettons également de nous revoir d'ici la fin de l'été.

— De toute façon, on va se voir pour ton anniversaire, hein Zèbre ? me demande mon cousin.

Mon anniversaire est le 10 août et chaque année, Édric et ses parents sont invités à venir fêter avec nous. Je ne vois pas pourquoi, cette fois-ci, ce serait différent.

— Bien sûr ! ai-je donc répondu.

Mais juste avant de remettre le nez dans mon bol de céréales, j'aperçois, du coin de l'oeil, mon père qui adresse à ma mère un petit clin d'oeil complice. Comme je me sens de plus en plus agacé par leurs manigances et que je n'ai pas encore eu le temps de faire ma propre recherche sur Internet à propos des mots « musée » et « Louvre », je me lance :

— J'ai entendu parler d'un musée... le musée Louvre, vous connaissez ? ai-je demandé en regardant fixement mes parents.

Mon père avale sa gorgée de café de travers. Ma mère se lève subitement de table, le visage aussi rouge qu'une tulipe au printemps.

— Tes parents vont arriver bientôt, Édric ! dit-elle avec une drôle de voix.

Justement, on sonne à la porte.

— Sauvés par la cloche, ai-je murmuré à l'intention d'Édric.

Chapitre 13

Chez Zach

Une fois Édric parti, je prends mon vélo et je roule jusque chez Zachary, car Christine, sa mère, veut me parler de la toile qu'elle aimerait avoir pour décorer sa salle à manger. Dès que j'entre chez mon ami, je comprends toutefois que l'heure n'est pas à la fête.

— Mon frère a encore fait des bêtises, m'explique Zach, à voix basse. Ma mère est au téléphone avec mon père. Viens, on va dans ma chambre.

— Je pensais que tes parents ne se parlaient plus ? ai-je demandé à Zach en le suivant dans le couloir.

— Oui, mais là, c'est grave ! répond-il en ouvrant la porte de sa chambre. Max est rentré à trois heures du matin et ma mère pense qu'il avait bu de l'alcool.

— Trois heures du matin ? !

— Ouais, dit Zachary en hochant la tête, et ce n'est pas la première fois ! Je pense qu'il va être privé de sorties… et pour longtemps !

La mère de Zach apparaît dans l'embrasure de la porte. Elle a les yeux rouges et bouffis, comme si elle avait pleuré. J'espère que jamais, même lorsque je serai un ado, je ne ferai de chagrin à mes parents.

— Bonjour Zèbre, dit-elle en faisant un pas vers moi, ça va bien ?

Je hoche la tête. Je me sens intimidé.

— Viendrais-tu avec moi un instant ? Je vais te parler de la toile.

Zach et moi, nous nous levons et la suivons dans la salle à manger. Tandis que nous discutons, un téléphone cellulaire, posé sur le comptoir, se met à sonner.

— C'est le téléphone de Maxime, dit Christine en s'en emparant. Je le lui ai confisqué, ajoute-t-elle en le lançant dans l'aquarium sous nos yeux ébahis.

— Heu… eh bien, je crois que maintenant, il ne sonnera plus ! dis-je en regardant l'appareil couler et les poissons s'affoler.

Malgré la tension, les larmes et les ados qui rentrent à trois heures du matin, nous nous regardons… et nous éclatons de rire tous les trois !

Je quitte Zach et sa mère une demi-heure et trois parties de *Uno* plus tard.

— Merci pour la toile, Zèbre, me dit Christine. Et sois certain que je n'oublierai pas de te payer !

— Mais… heu… mais non, voyons !

Elle s'approche de moi en souriant.

— J'insiste, Zèbre. Tout travail mérite salaire, tu sais !

Je hausse les épaules en rougissant. Je ne sais pas quoi dire.

— Tu es un bon garçon, continue-t-elle alors que je rougis davantage. Prends bien soin de toi… et de ta maman !

Elle me sourit et se dirige vers la maison. Zach me donne une petite tape dans le dos.

— Ben dis donc, on dirait bien que toutes les mères sont folles de toi !

Je lui donne un coup de poing sur l'épaule et, le coeur débordant de bonheur, j'enfourche mon vélo et je me mets à pédaler.

Chapitre 14

La toile

Cinq jours plus tard, j'ai déjà terminé la toile pour la maman de Zachary. Je suis en train de l'emballer dans du papier de soie (ça fait plus chic) lorsque ma mère entre dans ma chambre, son panier à linge sous le bras.

— Eh attends ! Je veux la voir !

Elle dépose son panier par terre et je lui montre la toile. Elle représente une forêt avec des arbres et des fleurs, évidemment, mais aussi quelques animaux subtilement cachés derrière les troncs d'arbres. Le ciel est rosé, comme si le soleil était en train de se coucher.

— Trouves-tu qu'on sent le calme de la nature, maman ?

Elle observe attentivement la toile.

— Hum... oui, je trouve. Et toi, qu'est-ce que tu en penses ?

— Je ne sais pas ! La mère de Zach m'a demandé de lui peindre un paysage « où règne le calme »... J'espère qu'elle va être contente !

Ma mère dépose doucement la toile sur le lit et me serre contre elle.

— Elle va être super contente, Zèbre. J'en suis sûre, me murmure-t-elle à l'oreille.

Sentant de petites larmes me picoter les yeux, je me défais doucement de son étreinte et j'emballe rapidement la toile.

— Au fait, Zèbre, reprend ma mère en s'assoyant sur mon lit, à propos de Daniel et de la façon qu'a son père de le traiter... je ne peux pas rester là sans rien faire, tu comprends ?

Je hoche la tête ; mes parents

m'ont déjà expliqué que c'était le devoir des adultes de protéger les enfants, même si ce ne sont pas les leurs.

— Dès la rentrée, m'annonce-t-elle, je vais aller voir Brigitte, la travailleuse sociale de l'école pour lui parler de ce que j'ai vu et entendu au soccer et aussi des ecchymoses sur les bras de Daniel. Par la suite, elle décidera s'il est nécessaire de faire quelque chose.

— C'est une bonne idée, maman.

Elle se lève et reprend son panier à linge, l'air satisfait. Juste avant de sortir de ma chambre, elle me tend une chemise à manches courtes.

— Dépêche-toi de te changer... nous sommes invités à manger chez Gazelle, ce soir !

Chapitre 15

Une grande nouvelle

Dès que nous arrivons chez Gazelle, mes parents recommencent à se comporter bizarrement. Ils me regardent à la dérobée, se donnent des coups de coude et rigolent comme deux ados qui auraient bu de l'alcool. Leurs petites cachotteries commencent vraiment à me fatiguer !

Pour ne plus les voir, je plonge mon regard dans celui, vert et parsemé d'étoiles, de Gazelle. Nous nous sourions sans rien dire, avec les yeux, la bouche et le coeur, heureux d'être là, ensemble en cette belle soirée d'été. Mais voilà que lorsque François, le papa de Gazelle, apporte les assiettes sur la table, ma mère se lève et porte un toast.

— Je lève mon verre à Zèbre, qui, dans quelques semaines, fêtera son dixième anniversaire… à Disneyland Paris !

Tout le monde ouvre de grands yeux étonnés. Moi, je suis tout simplement abasourdi. Disneyland Paris ? Ai-je bien entendu ? Alors que tout le monde trinque à cette heureuse nouvelle, tout me revient en mémoire : les billets, la librairie et toutes les pe-

tites conversations bizarres... Tout excités, mes parents m'expliquent que nous passerons quatre jours à Disneyland, puis deux semaines à Paris. Évidemment, comme n'importe quel enfant, je suis super heureux de savoir que j'irai à Disneyland, mais je dois admettre que la perspective de visiter Paris, ses monuments et ses musées, m'enchante tout autant ! Sans plus attendre, je me jette

au cou de mon père. Ma mère nous rejoint bientôt pour un immense câlin en famille.

Le reste de la soirée se déroule dans une ambiance festive ; nous rions, dansons et discutons de tout ce que nous allons voir et faire à Paris. Je me demande si des garçons portent le prénom Zèbre en France… Ben quoi ? Ça se peut, non ?

Chapitre 16

Moi, Zèbre Bouchard

Ça y est, nous prenons l'avion ce soir. Ma valise est presque prête et j'ai emprunté, à la bibliothèque, un guide de voyage pour les jeunes. Je ne me lasse pas de regarder les photos de Disneyland Paris, de la tour Eiffel, de l'Arc de Triomphe et de tous ces lieux magnifiques que je découvrirai bientôt de mes propres yeux. Dans mon bagage à main, j'ai glissé un cahier et quelques crayons. Je veux dessiner tout ce que je verrai là-bas, à commencer par le ciel, lorsque je serai dans l'avion. J'offrirai ensuite le cahier à Gazelle, qui rêve elle aussi, maintenant, de visiter la Ville Lumière !

Dans la chambre de mes parents, ma mère s'agite en tournant autour de sa valise, tandis que mon père, assis sur le lit, semble tout simplement dépassé par la situation. Ma mère est super énervée, car elle a horreur de faire des bagages. Cela la stresse ; elle a toujours peur d'oublier quelque chose.

— Mais il y a des magasins, à Paris ! lui répète mon père pour la douzième fois de la journée. S'il nous manque quelque chose…

— Je sais, je sais, l'interrompt encore une fois ma mère. Et toi, vas-tu commencer bientôt à préparer tes bagages ?

— Justement, j'étais en train d'y réfléchir, lui répond mon père en faisant mine de se diriger vers la garde-robe, alors que tout le monde sait que, comme d'habitude, il fera sa valise cinq minutes avant de partir.

Je sors chercher le courrier dans la boîte aux lettres. Il n'y a qu'une petite enveloppe blanche, sans timbre, qui m'est adressée. *Pour Zèbre*. Je m'assois sur la première marche de l'escalier et garde l'enveloppe entre mes mains un moment, en me demandant fébrilement de quoi il s'agit. C'est si rare que je reçoive du courrier !

Dans l'enveloppe, il y a une petite lettre et un billet de banque qui ne ressemble pas à ceux qu'on trouve

ici. C'est normal ; c'est un billet de cinquante euros, la monnaie que l'on retrouve en Europe ! Je déplie avec soin la lettre :

Cher Zèbre,
J'adore la toile. Elle me fait beaucoup de bien.
Tu sais, tu as beaucoup de talent !
Avec le billet que tu trouveras dans l'enveloppe,
tu t'achèteras un petit quelque chose à Paris !

Merci et bon voyage !
Christine xxx

Je remets le billet et la lettre dans l'enveloppe. Si je peux gagner des sous avec mes toiles, est-ce que ça veut dire que je pourrais être artiste plus tard ?

En attendant de trouver la réponse à cette question existentielle, je retourne dans la maison pour finir de préparer ma valise, car moi, Zèbre Bouchard, je m'envole ce soir pour Paris !

Myriam de Repentigny

Avant même de commencer la rédaction de *Une surprise pour Zèbre Bouchard*, je savais que cette histoire serait la dernière de la série. C'est donc avec un brin de tristesse, mais aussi beaucoup de plaisir que je l'ai écrite. Par ailleurs, j'avais envie qu'elle soit à la fois festive et sensible, qu'elle raconte les joies de l'amitié, le bonheur d'être en famille, la légèreté des vacances, mais aussi qu'elle parle, encore une fois, d'intimidation. En fait, j'avais surtout envie de poser un autre regard sur l'intimidation, d'en explorer un nouveau visage. C'est pourquoi j'ai mis en scène la relation entre Daniel et son père ; et si, sous sa carapace de dur à cuire, ce garçon cachait des blessures ?

Dans ce tome, Zèbre explore également une nouvelle forme d'art : la peinture. Et puis, il réalise qu'il peut gagner des sous avec son art. Il se demande s'il pourrait envisager d'en faire son métier, plus tard. J'ai envie de te dire que peu importe ce dont tu rêves, ce à quoi tu aspires, écoute ton coeur, suis ta voie et surtout, comme Zèbre, comme Édric, sois créatif !

Yvan Deschamps

Évidemment, tout le monde aime les surprises ! Enfin, je crois... en autant qu'elles ne soient pas trop mauvaises.

Bien sûr, Zèbre récoltera une surprise à la hauteur de sa grande sensibilité envers les autres. Je dirais même que Zèbre possède plus de talent qu'il ne le croit. Il a non seulement un talent pour les arts, mais aussi un don pour aider ses amis. D'abord Gazelle et sa mère, son cousin et même Daniel ! Voilà donc une récompense bien méritée. Zèbre peut donc maintenant être fier de ses « rayures » et profiter au maximum de cette belle surprise.

Ce livre a été imprimé sur du papier Sylva enviro
100 % recyclé, traité sans chlore, accrédité Éco-Logo
et fait à partir d'énergie biogaz.

Achevé d'imprimer
à Montmagny (Québec)
sur les presses de Marquis Imprimeur
en janvier 2015